Une drôle de guerre

D'après la série « Les grandes Grandes Vacances »
Création originale de Delphine Maury et Olivier Vinuesa
Bible littéraire de Delphine Maury, Olivier Vinuesa,
Alain Serluppus et Timothée de Fombelle
© 2015 Les Armateurs / Blue Spirit Studio
Adaptation des deux premiers épisodes de la série
dont les scénarios ont été écrits par :
Scénario n° 1 : Delphine Maury, Olivier Vinuesa,
Alain Serluppus, Guillaume Mautalent et Sébastien Oursel
Scénario n° 2 : Delphine Maury, Alain Serluppus,
Guillaume Mautalent et Sébastien Oursel

Dessins d'Émile Bravo

Pour la présente édition :
© 2015, Bayard Éditions
18 rue Barbès, 92128 Montrouge Cedex
Tous droits réservés. Reproduction même partielle interdite.
Dépôt légal : avril 2015
ISBN : 978-2-7470-5140-8
Loi n° 49-956 du 16 juillet 1949 sur les publications
destinées à la jeunesse
Imprimé en France par Pollina - 84710
Neuvième édition : avril 2018

Les grandes Grandes Vacances

Une drôle de guerre

Texte de Michel Leydier

bayard jeunesse

Les héros de l'histoire

Colette a 6 ans.
Espiègle et charmante,
elle a la langue
bien pendue.

Ernest a 10 ans. Doux
et joyeux, il se révèle
beaucoup plus courageux
et débrouillard qu'il ne
le croyait.

et Gadoue

Les parents

Lucie est courageuse et volontaire. Elle lutte contre une maladie qui l'affaiblit beaucoup.

Robert est sympathique et chaleureux. Il cherche toujours à dédramatiser les situations.

Les grands-parents

Papilou est un peu bourru, il ne mâche pas ses mots mais a toujours la parole juste pour ses petits-enfants.

Mamili est une maîtresse femme. Très douce avec les enfants, elle prend toujours leur défense.

Les enfants

Marcelin et Gaston
Morteau semblent
un peu rudes mais
ce sont de vrais gentils.

Fernand est alsacien.
Il vient de rejoindre
la Normandie pour fuir
les Allemands.

Muguette est d'une
maturité stupéfiante.
Elle est téméraire,
sauvage et volontaire.

Jean est le fils du maire
et sera le premier ami
d'Ernest. Il est cultivé et
plein d'humour.

1

L'arrivée à Grangeville

Ernest avait dix ans. Il vivait à Paris avec sa petite sœur, Colette, six ans, et leurs parents, Lucie et Robert. Un matin de l'été 1939, tous les quatre prirent place à bord de la traction avant familiale pour aller chez les parents de Lucie en Normandie. Un voyage qu'ils faisaient chaque année. Mais les deux enfants n'imaginaient pas que, cette fois, ils allaient y passer les plus grandes grandes vacances de leur vie. Des vacances qui resteraient à jamais gravées dans leur mémoire…

La voiture traversa Paris, puis ses faubourgs, avant de s'enfoncer dans la campagne verdoyante. Les deux enfants, assis sur la banquette arrière, étaient très excités par ce voyage. Durant tout le trajet, ils dévorèrent des yeux les paysages qui défilaient.

Au bout de plusieurs longues heures de route, au détour d'une colline, le décor changea. La mer, au loin, apparaissait enfin.

– Regarde ! s'exclama Ernest.

– On ira ramasser des coquillages ? demanda Colette.

Ce n'était pas la première fois qu'ils la voyaient, bien sûr, mais ce moment où ils retrouvaient la mer était toujours un émerveillement.

Bientôt, la voiture traversa le village de Grangeville, puis s'engagea sur une piste caillouteuse. Deux garçons qui portaient des bidons de lait sur le bas-côté regardèrent passer les Parisiens avec un air mauvais. Colette les reconnut et leur tira la langue ; le plus âgé des frères Morteau répondit en crachant par terre. Leur venue ne faisait visiblement pas plaisir à tout le monde.

Quelques centaines de mètres plus loin, leur père klaxonna longuement tout en stationnant devant une petite maison normande, perdue au milieu des champs et des bois.

Mamili et Papilou apparurent aussitôt sur le pas de la porte pour les accueillir. Colette jaillit hors de la voiture avec sa poupée et se précipita dans les bras de sa grand-mère.

– Mamili, tu m'as manqué !

– Toi aussi, ma Colette ! répondit celle-ci.

Puis elle embrassa tendrement son petit-fils et sa fille. Mamili se faisait du souci au sujet de la santé de Lucie et la dévisagea d'un air inquiet.

– Ça va, ma chérie ? T'as pas bonne mine…

– C'est l'air de la ville, maman, tu sais bien…

À son tour, Papilou embrassa sa fille et ses petits-enfants avant de saluer son gendre qui sortait les bagages du coffre.

– Alors, Robert, quelles sont les nouvelles de Paris ?

– Pas très bonnes, René.

Robert tendit à son beau-père le journal qu'il avait acheté avant de partir de Paris. René en parcourut aussitôt les gros titres et fit la grimace.

– Ils vont remettre ça, hein ?

Les adultes échangèrent des regards graves. La Première Guerre mondiale s'était achevée il y avait vingt et un ans à peine, et déjà un conflit majeur se profilait au cœur de l'Europe.

Ernest avait ramassé un bâton avec lequel il s'amusait à fendre l'air. Mais il était assez grand pour comprendre de quoi parlaient les grands. Il était inquiet. Colette, elle, courait après le chat de ses grands-parents. Pris de panique, ce dernier alla se réfugier au sommet d'une charrette chargée de foin garée dans la cour.

– Les enfants ! lança Mamili. On va chez Jeanne chercher de quoi faire un bon gâteau !

– Chic, on va voir les animaux ! s'exclama la fillette, déjà prête à partir.

Son frère était beaucoup moins enthousiaste.

– Oh non ! Pas chez les Morteau ! J'aime pas y aller, Mamili.

– Pas d'histoire ! répondit la grand-mère. Tu viens avec nous !

Elle alla chercher un bidon de lait qu'elle tendit au garçon. Inutile de discuter. Il le saisit avec résignation et suivit sa sœur et Mamili en traînant les pieds.

Lucie, Robert et Papilou ramassèrent les bagages et rentrèrent dans la maison.

2

La ferme des Morteau

Colette et Mamili menaient la marche sur un chemin de campagne bordé de prés et de bois, tandis qu'Ernest bougonnait derrière en traînant son bidon vide. Colette n'arrêtait pas de parler :

– Cette année, je vais apprendre à lire et à écrire, comme ça je t'écrirai souvent, Mamili. Et je te raconterai comment c'est à Paris…

Un troupeau de vaches attira soudain son

attention. Elle se précipita contre la barrière en faisant de grands signes. Quelques bêtes se tournèrent vers elle et la saluèrent d'un long « meuuuuuhhhhh », qui la fit éclater de rire.

Tout à coup, un Klaxon à poire retentit derrière eux. Colette, Mamili et Ernest firent volte-face. C'était Jean-Baptiste, le facteur. Il les dépassa sur son vélo. Âgé d'une trentaine d'années, grand et mince, avec des lunettes à verres épais, Jean-Baptiste était d'un tempérament toujours joyeux.

– Bonjour, les enfants ! lança-t-il en faisant

un petit signe amical de la main.

Un petit animal traversa alors la route à toute vitesse. Jean-Baptiste le vit trop tard. En voulant l'éviter, il donna un coup de guidon et se retrouva dans le fossé, les quatre fers en l'air.

Affolée, Mamili accourut.

– Tout va bien, Jean-Baptiste ?

Le facteur se releva avec difficulté, ajustant sa casquette et ses lunettes.

– Il a bien failli me tuer, ce maudit bestiau !

– Mais quel bestiau ? interrogea Mamili.

– Vous l'avez pas vu passer ? s'étonna-t-il en désignant l'autre côté du chemin.

Colette s'approcha du fourré où l'animal s'était réfugié. Mais Ernest l'empêcha d'aller plus loin.

– Attention ! On ne sait jamais ! dit-il d'un ton protecteur.

Un petit cochon surgit alors du fourré et vint renifler le genou de Colette.

– Hé ! On dirait bien le cochon de Jeanne !
s'amusa Mamili. On va le lui rapporter.

– Il est trop mignon ! dit Colette, sous le
charme du cochonnet.

Mamili salua le facteur affairé à remettre
sa chaîne de vélo en place, puis elle attrapa
le cochon et le cala sous son bras.

– Allons-y !

Ils se remirent en marche, mais elle dut
rapidement le relâcher car il s'agitait trop.
Colette s'amusa à courir devant lui et il
galopa à ses trousses.

– Regarde, Mamili, il me suit !

Ernest et sa grand-mère sourirent, et tous trois poursuivirent leur chemin jusqu'à la ferme des Morteau.

Un bâtard fatigué, nommé Quatorze, était relié à sa niche par une chaîne. Dès que Mamili et ses petits-enfants pénétrèrent dans la cour de la ferme, il se dressa sur ses pattes et se mit à aboyer. Jeanne Morteau, la mère des deux frères croisés sur la route, était en train de plumer une poule.

– Tais-toi, Quatorze ! gronda-t-elle avant de saluer ses visiteurs.

– Bonjour, Jeanne ! lança Mamili.

– Ah ben, le v'là, lui ! s'écria Jeanne en avisant son cochon qui courait toujours autour de Colette. Un vrai fugueur, celui-là !

– On l'a trouvé sur la route, expliqua Mamili.

Tout en parlant, Jeanne continuait à arracher les plumes de la poule qu'elle tenait par les pattes. Il y en avait tout autour d'elle. Ernest et Colette la regardaient faire avec étonnement et une pointe de dégoût.

– Ben quoi, les petits Parisiens ? demanda-t-elle avec un sourire. Faut bien les tuer, les animaux, si on veut les manger !

– Il me faudrait du lait et des œufs ! dit Mamili.

Jeanne appela ses fils.

– Gaston ! Marcelin !

Ils jaillirent aussitôt d'une grange qui donnait sur la cour. Dès qu'il l'aperçut,

Marcelin, le plus grand des deux, lança à Ernest un regard hostile.

– Gaston ! reprit la fermière. Prends ce bidon et va le remplir de lait. Et toi, Marcelin, montre à Ernest pour les œufs.

Gaston s'exécuta sans commentaire tandis que Marcelin faisait signe à Ernest de le suivre.

Les deux garçons se dirigèrent vers un poulailler aménagé dans une grange. Marcelin ouvrit la porte et mit un panier dans les mains d'Ernest.

– Rentre et sers-toi, Parigot !

Une vingtaine de poules couvaient sur

des étagères. Ernest n'en menait pas large. Il n'avait jamais collecté d'œufs et restait planté, indécis, n'osant pas glisser sa main sous les volatiles.

– Ben, vas-y, ça va pas se faire tout seul, insista Marcelin.

Ernest hésita encore, puis finit par entrer. Les pensionnaires sentirent l'intrusion de l'étranger et se mirent aussitôt à caqueter. Soudain, Marcelin claqua la porte du poulailler et se mit à taper sur le grillage. Prises de panique, les poules s'affolèrent et volèrent en tout sens.

Ernest était terrifié. Il se précipita vers la porte, mais Marcelin la maintenait fermée.

– Laisse-moi sortir ! s'écria-t-il en tambourinant désespérément sur la porte.

– Alors, le Parigot ? On a peur des poules ? Cot-cot-cooot… !

Pierre, l'aîné des Morteau, alerté par les cris, accourut. C'était un jeune homme, déjà bâti comme un adulte. Depuis la mort du père Morteau, c'était lui, l'homme de la maison.

– T'as fini tes âneries, toi ? gronda-t-il en administrant une bonne tape derrière la tête de son frère.

– Mais j'ai rien fait ! protesta Marcelin en se frottant la nuque.

Pierre ouvrit la porte du poulailler, et Ernest en jaillit. Il fit quelques pas et glissa de tout son long dans une flaque de boue.

Marcelin éclata de rire.

– Remplis donc le panier au lieu de ricaner bêtement ! ordonna Pierre.

Quelques instants plus tard, tous trois revinrent auprès de Jeanne et de Mamili.

– Ben, qu'est-ce qui est arrivé au p'tiot ? questionna Jeanne en voyant Ernest couvert de boue.

– Marcelin arrête pas de lui faire des chicanes, répondit Pierre.

Non loin de là, Colette ne se lassait pas de jouer avec le petit cochon.

– Bien, on y va, les enfants, dit Mamili. Merci, Jeanne, et à bientôt !

– Mamili, on peut l'emmener ? demanda la fillette. S'il te plaît, s'il te plaît…

Elle parlait bien sûr de son nouveau compagnon de jeu.

– Pas question ! C'est le cochon de Jeanne. Et puis dans six mois, il sera gros comme le buffet de la cuisine.

Colette insista encore, tout en sachant que Mamili revenait rarement sur ses décisions.

Ernest et Marcelin se défièrent une dernière fois du regard, et Mamili s'en alla avec ses petits-enfants.

3

La déclaration

Papilou s'affairait à rafistoler les grillages de son pigeonnier. Il en profitait pour consolider certaines parois en clouant des planches. Colette tournait autour de lui, tenant une colombe entre ses mains.

– Qu'est-ce que j'en fais, Papilou ? On dirait qu'elle veut s'envoler.

– Lâche-la donc, qu'elle aille voir du pays ! répondit-il.

Colette lança l'oiseau en l'air et, en quelques

battements d'ailes, celui-ci prit de la hauteur.

Ensemble, ils regardèrent la colombe s'éloigner dans le ciel nuageux.

– Elle va revenir, hein ? demanda la fillette, d'un air triste.

– On le souhaite tous, ma petite Colette, répondit Papilou d'un air rêveur.

Les vacances étaient déjà bien avancées. Ernest était désœuvré, il avait hâte de rentrer à Paris. Ses copains lui manquaient. Il dessinait sur le sol avec la pointe d'un bâton.

– Je sais pas quoi faire, Papilou. Je m'ennuie.

Son grand-père se tourna vers lui.

– T'es bien un gars de la ville, toi ! Allons, il y a toujours quelque chose à faire à la campagne… Pourquoi tu continuerais pas à construire la cabane que tu as commencée au début de l'été ?

Le visage du garçon s'illumina. Il se dressa d'un bond.

– Mais oui, la cabane !

– Je viens avec toi ! lança Colette.

Les deux enfants se dirigèrent au pas de course vers la forêt.

– Occupe-toi bien de ta sœur ! s'écria Papilou.

Quelques instants plus tard, Colette s'amusait à racler le fond d'une mare avec un bâton, tandis qu'Ernest peinait à assembler des branches pour former la charpente de sa cabane. Il s'y prenait maladroitement et ses bouts de ficelle étaient bien insuffisants.

Leur père apparut dans la clairière.

– Alors, les enfants, ça avance, cette cabane ?

– Non, bougonna Ernest. Ça tiendra jamais.

Robert s'approcha du chantier et se voulut rassurant.

– Je vais t'aider. J'étais un expert quand j'avais ton âge. Le secret d'une cabane solide, c'est les nœuds !

Il sortit un canif de sa poche et se mit à tailler en pointe une extrémité de chacune des plus grosses branches. Puis il les planta en cercle dans le sol, aussi profondément que possible, de manière que leurs autres extrémités se rejoignent au sommet. Ensuite, il noua solidement ces dernières. Le résultat rappelait l'ossature d'un tipi.

– Et voilà ! s'exclama-t-il. Maintenant, il n'y a plus qu'à boucher les ouvertures avec des branches plus petites.

– Bravo, papa ! T'as réussi ! s'enthousiasma Colette.

– On pourrait aussi construire une table en bois et un banc, ajouta Robert. Comme ça vous pourrez faire des pique-niques.

– Oh oui ! renchérit Colette.

Ernest, lui, baissa la tête.

– On n'aura pas le temps, on doit rentrer à Paris.

– C'est pas grave, on continuera aux prochaines vacances.

Lucie arriva à ce moment-là, un bouquet de fleurs des champs à la main.

– Mais c'est un vrai palace, ici ! déclara-t-elle, tendrement. Bravo les enfants ! Voilà une petite touche de couleur pour votre palais.

Elle planta son bouquet au sommet de la construction, avant de se mettre à tousser violemment.

Robert blêmit et se précipita.

– Lulu ! Ça va ?

Lucie retrouva lentement son souffle et le rassura.

Mais sa toux la reprit, plus vive encore.

Les enfants échangèrent un regard inquiet. Leur mère était de plus en plus souvent sujette à des quintes qu'ils ne savaient comment interpréter. Robert ne supportait pas de voir sa femme souffrir ainsi. Il passa son bras autour de ses épaules.

– Tu dois te ménager, Lucie. Viens, je te raccompagne à la maison. Les enfants, vous n'oublierez pas de rentrer pour le goûter.

Tous deux savaient que Lucie était atteinte de tuberculose[1].

Les enfants les regardèrent s'éloigner en silence, puis Ernest se remit à sa cabane.

Les trois générations se retrouvèrent autour de la table de la cuisine. Mamili découpait la tarte aux pommes qui sortait du four, tandis que Papilou ne décollait pas son oreille du poste de radio. C'était le 3 septembre 1939.

1. Maladie des poumons qui se soignait encore difficilement à cette époque.

Édouard Daladier, le président du Conseil[2], s'adressait à tout le pays. L'heure était grave. L'Allemagne avait attaqué la Pologne, pays allié de la France, deux jours plus tôt, dans le but de dominer un jour l'Europe tout entière. Toutes les tentatives françaises et anglaises pour ramener le chancelier Hitler à la raison avaient échoué.

La France ne pouvait plus reculer.

Papilou éteignit la radio et se leva.

– La guerre est déclarée ! lâcha-t-il, à la fois triste et solennel.

Les trois autres adultes se figèrent. Sous le choc, Mamili laissa tomber la pelle à tarte par terre. Les enfants dévisageaient les grandes personnes tour à tour sans comprendre réellement ce que cette information impliquait pour eux. Papilou se rassit dans un silence pesant, que Robert se décida à rompre.

2. Chef du gouvernement, l'équivalent du Premier ministre aujourd'hui.

– Bah ! On a la ligne Maginot[3] ce coup-ci, les Allemands ne pourront pas passer.

– Les Boches[4], y a pas grand-chose qui les arrête ! maugréa Papilou.

– Allons, René, notre armée est bien plus puissante que la leur ! Cette fois, ce sera une promenade de santé !

Papilou ne supportait pas que son gendre parle de la guerre avec autant de légèreté.

– Ton père aussi pensait ça en 14. Et

3. Fortifications construites le long des frontières françaises entre les deux guerres mondiales pour prévenir une nouvelle invasion allemande.
4. Terme familier et péjoratif désignant les Allemands.

pourtant, il y est resté !

Furieux, il tapa du poing sur la table.

– Aucune guerre n'est une promenade de santé, bon sang !

La tension était montée d'un cran. Les enfants étaient stupéfaits. Jamais, ils n'avaient vu leur grand-père se mettre dans un tel état.

Mamili lança un regard noir aux deux hommes.

– Ça suffit, vous deux !

Chacun piqua du nez en direction de son assiette et goûta, du bout des lèvres, à la tarte aux pommes.

4

La séparation

Cette déclaration de guerre était lourde de conséquences. Les hommes en âge de tenir un fusil étaient censés aller combattre. Robert devait rejoindre son unité. Avec Lucie, ils discutaient sur un banc dans le jardin. Ils envisageaient toutes les solutions possibles. Robert était convaincu que les enfants devaient rester en Normandie chez leurs grands-parents, en attendant des jours meilleurs. Mais Lucie avait du mal à se faire à cette idée.

– Si tu pars au front, et que les enfants restent ici, qu'est-ce que je vais devenir toute seule ?

Robert la prit dans ses bras et tenta de la consoler.

– Tu vas commencer par te faire soigner, ma Lulu. Les enfants seront bien ici, j'en suis certain. Cette guerre ne va pas durer.

Un cabanon qui abritait des toilettes extérieures se trouvait non loin d'eux. Ernest en jaillit soudain ; il avait entendu leur conversation. Il leur lança un regard dur et courut se réfugier dans la maison.

– Ernest ! s'écria Lucie.

Elle bondit et le suivit à l'intérieur. Elle le trouva prostré sur son lit. Comme il maintenait sa tête enfouie entre ses genoux, elle s'assit à côté de lui.

– Ernest, mon chéri…

– T'avais dit qu'on rentrerait à Paris, protesta-t-il.

– Je sais mais… les choses ont changé. Ton père va devoir partir à la guerre, et moi, il faut que j'aille me faire soigner en Suisse.

Le garçon se mit à sangloter.

– Et nous, alors ?

– On reviendra vous chercher dès que ce sera possible. Vous serez à l'abri ici, et puis… ça te laissera le temps de finir ta cabane.

– M'en fiche de ma cabane ! cria Ernest. Il se tut un instant puis reprit :

– Et Colette, qu'est-ce qu'elle va devenir ?

– Je suis sûre que tu t'occuperas très bien d'elle, répondit sa mère.

La fillette fit alors irruption dans la pièce.

– T'as vu, Ernest ? On va rester tous les deux avec Mamili et Papilou ! Ça va être comme des grandes grandes vacances !

Elle semblait folle de joie. Puis elle se tourna vers sa mère.

– Tu vas me manquer, maman, dit-elle en se blottissant contre elle.

Ernest se rapprocha à son tour de sa mère pour lui faire un câlin, lui aussi. Robert, qui avait suivi Colette, approcha et passa ses bras autour d'eux trois.

– Ne dramatisons pas ! Si ça se trouve, la guerre sera finie avant la fin des vacances, et on sera très vite tous les quatre à la maison. Comme avant !

Lucie soupira. Elle n'en croyait pas un mot.

Quelques jours plus tard, Robert et Lucie étaient sur le départ. Robert et Papilou s'affairaient à caser les valises dans le coffre de la traction avant. Lucie, accroupie, enlaçait ses enfants, noyés par le chagrin. Colette sanglotait.

– Ne pleure pas, ma Colette, dit Lucie en séchant les larmes de sa fille et en dissimulant difficilement les siennes.

– Tu reviens vite nous chercher, hein, maman ?

– Oui, c'est promis. Je reviens dès que c'est possible.

Lucie embrassa encore ses enfants, en tentant de contenir son émotion. Mamili les observait en silence.

– Voilà, tout y est ! lança Robert en refermant le coffre de la voiture.

Colette se jeta dans ses bras, puis Ernest vint se joindre à leur étreinte.

Après avoir embrassé ses parents, Lucie prit place dans la voiture. Ces adieux lui brisaient le cœur. Robert récupéra dans la voiture un bâton qu'il donna à son fils.

– Tiens, bonhomme, j'ai fait ça pour toi !

Ernest observa l'objet avec admiration.

– T'as même gravé mon prénom dessus ! s'exclama-t-il.

– Oui, et voici de la lecture ! répondit Robert en lui tendant un livre.

– *Robinson Crusoé !* Merci p'pa !

– Je compte sur toi pour faire la lecture à Colette ! Et surtout, veille bien sur elle !

Il les serra de nouveau dans ses bras et alla

s'asseoir au volant de la traction.

— À très bientôt ! lança-t-il.

— Maman, reviens vite ! s'écria Colette en venant coller son visage couvert de larmes contre la vitre derrière laquelle se tenait sa mère.

Lucie, elle-même en pleurs, lui offrit un sourire profondément triste.

— Démarre, Robert, je t'en prie, lâcha-t-elle à voix basse.

Son mari s'exécuta, et la voiture se mit en mouvement. Ernest et Lucie semblaient perdus. La fillette courut derrière en appelant sa mère. Ses cris déchirants retournèrent le cœur de Lucie, qui éclata en sanglots.

Lorsque la voiture disparut de sa vue, Colette s'arrêta.

– Maman ! gémit-elle une dernière fois, sans cesser de pleurer.

Mamili la rejoignit sur le chemin et la fillette se laissa aller dans les plis de sa robe. Ernest restait en retrait, à côté de son grand-père, s'efforçant de ne pas craquer. Mais, d'un seul coup, il fondit en larmes à son tour et partit en courant vers la maison.

– Fichue guerre ! soupira Papilou.

Ce soir-là, pour la première fois, Ernest et Colette durent se coucher sans le baiser rituel de leurs parents. Ils s'installèrent dans leur lit, séparés par une commode. Ernest ouvrit le livre que lui avait offert son père et s'apprêtait à lire quand sa sœur vint se blottir contre lui.

– Qu'est-ce que tu fais ? Tu dors pas dans ton lit ? demanda-t-il.

– Il est tout froid.

Ernest resta immobile un instant, cherchant comment rassurer sa sœur.

– Dis, reprit-elle, papa, il va mourir à la guerre… comme grand-père ?

– Mais non, t'inquiète pas ! Papa, c'est le plus fort. Il peut rien lui arriver… Allez, dors, ma Côtelette !

Il embrassa sa sœur sur le front et se plongea dans les aventures de Robinson Crusoé.

5

Un nouveau compagnon

Lucie et Robert étaient partis depuis quelques semaines maintenant. Ernest et sa sœur s'habituaient à leur nouvelle vie. L'été touchait à sa fin.

La cabane d'Ernest prenait belle allure. Chaque jour, il s'y rendait et y apportait des améliorations.

Un matin, les frères Morteau en sortaient en reboutonnant leurs pantalons quand il

arriva. Furieux de les trouver sur son territoire, il les chassa en brandissant le bâton que
lui avait taillé son père. Gaston et Marcelin
déguerpirent en riant méchamment. Intrigué,
Ernest se précipita à l'intérieur de la cabane
et constata qu'ils venaient d'y faire leurs
besoins.

– Ah, les fumiers ! pesta-t-il.

Il reprit la direction de la maison de ses
grands-parents, bien décidé à leur raconter
sa mésaventure, mais il fit en chemin une
rencontre inattendue. Surgissant d'un bosquet, le petit cochon de Jeanne se planta

devant lui. Attendri, Ernest se pencha pour lui caresser le museau.

– Toi aussi, t'en as marre des Morteau, hein ?

C'est alors qu'une idée lui vint. Non, il ne dirait rien à Mamili et à Papilou de ce qui s'était passé à la cabane ce matin…

Un peu plus tard, dans la matinée, il alla trouver Colette. Celle-ci était en train de dessiner sur la table de la cuisine, tandis que sa grand-mère préparait le déjeuner. Il entra et lança un clin d'œil complice à sa sœur.

– Mamili, on pourrait pique-niquer à la cabane avec Colette aujourd'hui ?

– Pourquoi pas ? Très bonne idée, Ernest ! Je vais vous préparer un panier, vous allez vous régaler !

Vers midi, Ernest et Colette arrivaient à la cabane. Ernest dégagea l'entrée, obstruée par des branchages.

– Et voilà ! s'exclama-t-il.

Colette pointa le bout de son nez à l'intérieur et poussa un cri de joie.

– Ouais ! Le cochon ! Le cochon ! Merci,
Ernest.

L'animal sautilla autour d'elle, puis ils roulèrent tous les deux dans l'herbe.

Ernest était tout heureux de faire plaisir à
sa sœur, pourtant il redevint sérieux.

– Attention, Colette ! Il ne faut surtout pas que Papilou apprenne qu'il est ici, tu comprends ?

– D'accord, ce sera notre secret !

Ils pique-niquèrent tous les trois, et il ne resta bientôt plus rien du panier de Mamili.

– T'es un gros gourmand ! lança Colette au cochon.

Ce dernier ne tenait pas en place. Soudain, il disparut derrière un bosquet. Ernest et sa sœur se lancèrent aussitôt à sa poursuite.

– Cochon ! Cochon ! appela Colette.

Bientôt, ils tombèrent nez à nez avec une jeune fille de l'âge d'Ernest, à l'aspect un peu sauvage, les cheveux mal peignés, qui tenait le cochon dans ses bras. Ce n'était pas la première fois qu'elle observait les petits Parisiens, dissimulée derrière les arbres. Elle leur tendit l'animal sans un mot, et Colette s'en empara.

Ernest tenta de se justifier.

– Merci... Mais euh... C'est pas notre cochon... On va le rendre...

La jeune fille fit demi-tour et disparut dans la forêt.

– C'est qui, elle ? demanda Colette.

– Je sais pas. J'espère juste que c'est pas une cafteuse.

Le cochon s'échappa des bras de Colette pour aller se rouler dans une flaque de boue.

Colette éclata de rire.

– Regarde, on dirait qu'il aime ça ! Et si on l'appelait Gadoue ?

Le lendemain matin au petit déjeuner, Ernest dissimula une pomme pour nourrir leur cochon. Colette voulut faire de même avec la miche de pain qui traînait sur la table, mais son frère la dissuada du regard.

– Pas ça ! articula-t-il. Ça va se voir !

Elle se rattrapa avec une des carottes que Mamili venait d'éplucher.

Soudain, la porte s'ouvrit. C'était Jeanne Morteau.

– Bonjour, Émilie ! Bonjour, les enfants !

Mamili se retourna.

– Jeanne, entre donc !

– Dites, vous auriez pas vu mon cochon ? Il a encore fugué, le salopiot !

Les enfants se figèrent.

– Bah non ! répondit Mamili. Mais si on le voit, compte sur nous pour te prévenir ! Pas vrai, les enfants ?

Ernest et Colette acquiescèrent d'un signe de la tête.

– Tu veux un petit café, Jeanne ? proposa Mamili.

– Bah, je peux pas rester, faut bien que je le retrouve, cet animal ! S'il s'est perdu, ça va me faire un sacré manque à gagner ! Allez, à tantôt !

Une fois Jeanne partie, Colette demanda :

– C'est quoi, Mamili, un sacré manque à gagner ?

La grand-mère se tourna vers sa petite-fille.

– Avec un cochon, tu nourris une famille pendant des mois. Alors quand t'en perds un, ça fait jamais très plaisir.

Colette ouvrit de grands yeux étonnés.

– Quoi ? Ils mangent des cochons ?

– Bah ! Quelle question ! Toi aussi, tu en manges. Le jambon, le saucisson, le pâté, qu'est-ce que c'est, à ton avis ?

La fillette se tourna vers le coin de la

cuisine où pendait la charcuterie. L'idée que Gadoue puisse finir comme ça la révolta. Elle se leva de sa chaise.

– J'ai fini de manger. Tu viens, Ernest ?

Ernest suivit sa sœur hors de la cuisine. Ils prirent la direction de la cabane, mais Papilou, râteau à la main, arrêta Ernest.

– J'ai besoin de toi pour faire un peu de jardinage !

Ernest soupira et dut se résoudre à laisser Colette aller seule à la cabane.

Quand il eut fini de désherber le carré de terre que son grand-père lui avait désigné à l'autre extrémité du jardin, il courut rejoindre Colette. Mais la cabane était vide : aucune trace du cochon ni de sa sœur. Le garçon retourna à la maison et grimpa au premier étage. Colette était dans leur chambre.

– Gadoue a disparu ! chuchota-t-il, catastrophé. Encore un coup des Morteau, c'est sûr !

Mais Colette n'était pas seule : quelque chose gigotait sous son couvre-lit.

6

Le cadeau de Papilou

Colette plaqua son index contre sa bouche.

– Ici, personne ne viendra le manger !

Gadoue pointa le bout de son museau.

– Mais t'es folle ou quoi ? On va se faire disputer !

Colette ne se rendait pas compte de l'ampleur de sa bêtise, mais son frère, lui, en imaginait déjà les conséquences.

– Les enfants, descendez ! s'écria Mamili depuis la cuisine.

Ernest et Colette paniquèrent.

– Vas-y, Colette, je te rejoins. Dis à Mamili que je me lave la figure !

Lorsqu'il dévala l'escalier à son tour, Ernest trouva sa sœur et ses grands-parents autour de la table de la cuisine.

– On a reçu les masques à gaz ! lança Papilou en déballant de drôles d'objets.

Les enfants les observèrent avec étonnement.

– Pourquoi on nous donne ça ? demanda Ernest.

– On n'est jamais à l'abri d'une attaque au gaz… Si vous sentez une odeur bizarre ou si vous voyez de la fumée, il faut les mettre tout de suite… Je veux que vous les ayez toujours avec vous, compris ?

À cet instant, des bruits provenant du premier étage attirèrent leur attention, comme si on grattait le plancher.

– Qu'est-ce que c'est ? demanda Papilou en regardant les enfants. Ça vient de votre chambre !

Les enfants étaient livides. Papilou se dirigea vers l'escalier, et tout le monde le suivit. Il entra dans la chambre des enfants ; les bruits provenaient de l'armoire. Il ouvrit en grand un battant, et Gadoue surgit. Colette se précipita pour le récupérer.

– C'est mon Gadoue ! Je veux pas qu'on me le prenne ! Je veux pas qu'on le mange !

Elle pleurait à chaudes larmes.

– Mais les cochons, ça vit pas dans une

maison, ma chérie ! fit observer Mamili. Et puis, il est pas à toi !

Papilou était rouge de colère.

– Ta grand-mère a raison : tu l'as volé, ce cochon ! C'est honteux !

Il arracha l'animal des bras de Colette.

– René, calme-toi ! temporisa Mamili. On va le rapporter à la Jeanne, et tout ira bien.

– C'est pas sa faute, c'est la mienne ! intervint alors Ernest. Il m'a suivi… et Colette le voulait tellement… J'ai pensé…

– Ben, t'as pensé de travers ! coupa Papilou. Tu vas venir avec moi chez les Morteau et tu feras tes excuses.

Les sanglots de Colette reprirent de plus belle.

– Je m'en fous, des Morteau ! s'écria Ernest au bord de la crise de nerfs. J'irai pas ! Qu'ils le bouffent, leur cochon !

Et il disparut en courant.

– Je te déteste, Papilou ! s'écria Colette à

son tour. Je veux pas qu'ils mangent Gadoue.

Papilou lança à sa femme un regard exaspéré.

– Oooh ! Ça commence à me chauffer les oreilles, cette histoire de cochon !

Il sortit à son tour de la maison, Gadoue coincé sous son bras, et prit la direction de la ferme des Morteau, d'un pas décidé.

Pendant ce temps, Ernest se rendit à sa cabane, pestant et giflant l'air et les fourrés avec son bâton.

– J'en ai marre de ce patelin, je veux rentrer à Paris ! râlait-il, plein de colère.

Mais les frères Morteau l'attendaient auprès de sa cabane et ils n'étaient pas venus pour faire la paix.

– Tu te crois chez toi, le Parigot ? Tu te prends pour qui ? le provoqua le cadet.

– Je suis sûr que c'est toi qui as piqué notre cochon ! renchérit Gaston.

Ernest bafouilla et commença à rougir.

– Ahhh ! T'as quelque chose à te repro-
cher, on dirait, siffla Marcelin en avançant
vers lui, prêt à se battre.

Ernest recula, peu rassuré.

– Laissez-moi tranquille, je vous ai rien fait !

– On va te démolir, toi et ta cabane pourrie !

Tandis que Gaston commençait à arracher
des branches, Marcelin décrocha le bouquet de fleurs que Lucie avait cueilli et il le
piétina méchamment. Ça, c'en était trop !
Ernest vit rouge et se jeta sur lui. Les deux
garçons roulèrent dans l'herbe et Marcelin

prit rapidement le dessus. Il se retrouva à califourchon sur lui et s'apprêtait à lui asséner un grand coup de poing au visage quand il reçut une bouse de vache en pleine tête. Il n'eut pas le temps de réagir qu'une autre arrivait sur son épaule. Et une troisième atterrit sur la figure de Gaston.

– Pouahhh ! De la bouse de vache !

Ils se tournèrent tous les deux vers l'endroit d'où venaient les projectiles. Entre deux arbres se tenait la jeune fille un peu sauvage qui avait rendu Gadoue à Ernest et à Colette la veille.

– La Vraiq ! s'écrièrent les Morteau. Fichons le camp !

Ils détalèrent tous les deux, comme s'ils venaient d'apercevoir le diable.

Ernest se releva et s'approcha d'elle. Elle sourit brièvement avant de prendre, elle aussi, la poudre d'escampette, dans la direction opposée.

– Hé, attends ! tenta de la retenir Ernest. Comment tu t'appelles ?… Moi, c'est Ernest !

Mais la jeune fille était déjà loin.

Ernest marcha un bon moment avant de rentrer. Il craignait l'accueil de ses grands-parents après son coup de colère de tout à l'heure. Quand il se résolut à retourner à la maison, quelle ne fut pas sa surprise de trouver Colette jouant avec Gadoue dans le jardin.

– Bah, qu'est-ce qu'il fait encore là, lui ? demanda le garçon.

– Tu devineras jamais : Papilou a acheté Gadoue ! Il est à moi maintenant.

Papilou les observait, appuyé contre le chambranle de la porte d'entrée.

– Comme vous allez peut-être rester plus longtemps que prévu… j'ai pensé que ça vous ferait un petit copain…

Mamili apparut à son tour.

– On va rester combien de temps ? demanda Ernest, inquiet.

– Ben, le temps que votre mère se soigne, pardi… Tiens, tu vois la bignone[5] qui pousse le long du mur, là ? Eh bien, ta mère sera de retour avant qu'elle atteigne le toit.

Colette leva la tête d'un air perplexe.

5. Plante grimpante avec des fleurs très colorées en forme de trompette.

7

La rentrée des classes

Les journées raccourcissaient jour après jour, et le mois d'octobre arriva. Ernest et Colette essayaient de ne pas trop penser à leurs parents, car cela les plongeait chaque fois dans une profonde mélancolie. Une lettre de leur père les avait cependant rassurés. Il avait été envoyé au front, mais les combats n'avaient pas encore commencé.

Puis vint le jour de la rentrée des classes.

Colette était tout excitée, tandis que son frère regrettait déjà son école parisienne.

Mamili les accompagna à Grangeville avec Gadoue. Le village n'était pas très loin de chez eux, à un kilomètre. Mamili s'arrêta devant les grilles de l'école communale, une vieille bâtisse qui donnait sur une cour plantée de quelques arbres.

Elle les embrassa tendrement.

– Bonne rentrée, les enfants ! Papilou vous attendra au café de Tissier pour vous ramener à la maison.

Colette s'accroupit devant Gadoue.

– Gadoue, sois sage pendant que j'apprends à lire, dit-elle à son cochon. Et surtout, obéis bien à Mamili !

Une fois dans la cour de l'école, Ernest se sentit atrocement triste et seul. Colette se joignit immédiatement à d'autres fillettes qui jouaient à la marelle, mais lui alla s'isoler sur un banc. Les frères Morteau étaient là et se moquaient déjà de lui. Il les ignora et sortit son livre de son cartable.

– Tu lis quoi ? l'interpella un garçon de son âge.

Ernest leva la tête.

– *Robinson Crusoé*. Tu connais ?

– C'est mon livre préféré ! Tu es le premier dans ce patelin qui s'intéresse à ce livre.

Le garçon s'assit à côté d'Ernest et lui tendit la main.

– Je m'appelle Jean.

– Moi, c'est Ernest.

– Parisien, tête de chien ! lança soudain un des Morteau, avant d'éclater de rire avec son frère et un autre garçon.

– T'occupe ! Les Morteau sont des imbéciles ! dit Jean. L'autre, le Paul, c'est le fils de l'épicier Tissier : une vraie teigne !

Un homme d'une quarantaine d'années apparut sur le seuil de l'unique salle de classe. Il portait un costume et une cravate, ainsi qu'une paire de lunettes rondes. Il joignit ses mains devant sa bouche et imita le cri de la chouette.

– Allez, viens ! C'est le signal pour se mettre en rang ! Notre maître est un spécialiste des oiseaux…

Les élèves entrèrent dans la classe tandis que monsieur Herpin, l'instituteur, inscrivait la date au tableau : Lundi 2 octobre 1939.

– Bonjour, les enfants ! lança-t-il. Étant donné les circonstances exceptionnelles de ces dernières semaines, nous accueillons

cette année dans notre classe des élèves qui viennent parfois de loin. Je laisse aux nouveaux le soin de se présenter.

Ernest baissa la tête, pétrifié à l'idée de devoir prendre la parole publiquement.

Heureusement pour lui, un autre élève se leva.

– Je m'appelle Fernand Geber, je viens d'Obernai, un petit village d'Alsace.

Le garçon s'exprimait avec un fort accent alsacien, ce qui fit rire toute la classe.

– Et moi, ch'hapite à Grancheville, en Normantie ! poursuivit Marcelin Morteau en exagérant les intonations de Fernand.

Les rires redoublèrent, ce qui ne fut pas du goût de monsieur Herpin.

– Ça suffit ! Quelle honte ! Est-ce une façon d'accueillir les nouveaux ? Fernand fait partie de ces compatriotes que la guerre éloigne momentanément, et malgré eux, de chez eux. Je rappelle à ceux qui l'auraient oublié que l'Alsace est une région française à part entière, au même titre que la Normandie.

Colette leva la main.

– Moi aussi, je suis nouvelle. Je m'appelle Colette. Avec Ernest, mon frère (elle

le désigna du doigt, un rang derrière elle), on vient de Paris et on habite chez Mamili et Papilou.

– Mais notre maman est née ici ! intervint Ernest en se dressant à son tour.

– Parigot, tête de veau ! glissa Gaston Morteau.

De nouveau, des rires fusèrent.

– Gaston ! reprit monsieur Herpin. Sais-tu que tête de veau rime également avec… Morteau ?

Cette fois, toute la classe fut autorisée à rire de bon cœur. Seuls les deux élèves concernés par la plaisanterie s'abstinrent.

Le reste de la journée s'écoula sans incident majeur.

À dix-sept heures, les cloches de l'église sonnèrent. La journée de classe était terminée.

Ernest sortit de l'école en tenant sa sœur par la main. Comme convenu, ils retrouvèrent Papilou au café du village. Ce dernier écoutait les dernières nouvelles à la radio avec quelques habitués. Il donna un peu de monnaie à Ernest pour aller acheter du sucre à côté. Le couple Tissier, les parents de Paul, tenait à la fois le café et l'épicerie du village. Les deux pièces communiquaient par une porte. Tandis que madame Tissier tenait le bar, son mari s'occupait de la boutique.

Au moment où les enfants entrèrent, une mère de famille réclamait de la viande et de l'huile, mais l'épicier affirmait être en rupture de stock.

– Qu'est-ce que vous voulez, ma petite dame, c'est la guerre !

La cliente s'en alla, contrariée, puis vint le tour de Fernand, l'écolier.

– Je voudrais une livre de sucre, s'il vous plaît, demanda le jeune Alsacien.

Monsieur Tissier lui adressa un regard suspicieux.

– D'où tu viens, toi, avec un accent pareil ?

Paul, le copain des Morteau, sortait de la cave à ce moment-là.

– C'est un Allemand !

– Quoi ?! Les Boches sont déjà là pour piquer dans nos réserves ? tempêta le père Tissier.

– Mais non, m'sieur ! intervint Ernest. Il est pas allemand, il est alsacien !

– Pour moi c'est pareil ! C'est boche et compagnie !

L'épicier alla vers la porte et l'ouvrit en grand pour bien faire comprendre à Fernand qu'il n'était pas le bienvenu dans son établissement.

– Je ne sers pas les Boches. Et de toute façon, j'ai plus de sucre !

Fernand s'apprêtait à sortir, quand Jean, le copain d'Ernest, entra avec sa mère.

– Oh, madame Guibert ! Comment allez-vous ? s'inclina monsieur Tissier d'un air mielleux. Votre commande est prête, chère madame.

Il héla son fils.

– Paul ! La commande Guibert !

Tandis que ce dernier descendait à la cave par une trappe, Jean présenta Fernand, Ernest et Colette à sa mère.

– Au fait, reprit madame Guibert, rajoutez un kilo de sucre à ma commande, je vous prie.

– Bien sûr, madame. Paul ! s'écria-t-il, rajoute deux livres de sucre pour madame Guibert !

Colette réagit aussitôt :

– Il a pas voulu donner du sucre à Fernand. Même qu'il a dit qu'il en avait plus !

Madame Guibert cessa de sourire.

– Qu'est-ce que c'est que cette histoire, monsieur Tissier ?

L'épicier sembla soudain très embarrassé.

– C'est qu'avec son accent, j'ai pas bien compris ce qu'il voulait.

Il se tourna vers la trappe.

– Paul ! Remonte aussi du sucre pour ton copain.

– Nous aussi, on en veut ! intervint Ernest.

– Pour *tes* copains ! corrigea monsieur Tissier à l'intention de son fils.

Depuis son entrée dans la boutique, Colette lorgnait sur une boîte de crayons de couleur.

– Combien ça coûte ? demanda-t-elle à l'épicier.

– Mais, Colette, j'ai des sous que pour le sucre, coupa Ernest, gêné.

– Tatata…, intervint madame Guibert. Monsieur Tissier va se faire un plaisir de t'offrir ces crayons. Ce sera un peu comme un cadeau de bienvenue. N'est-ce pas, monsieur Tissier ?

Celui-ci n'osa pas la contredire.

Paul remonta de la cave les bras chargés et, après avoir réglé sa note, chacun repartit avec ses achats.

Sur le trottoir, Ernest s'étonna de l'attitude de l'épicier vis-à-vis de madame Guibert.

– Mon père est maire du village, lui expliqua Jean. Alors, tu comprends…

– Waouh ! fit Ernest, impressionné.

Jean se tourna vers sa mère, qui discutait avec René, derrière eux.

– Maman, je peux aller jouer chez Ernest ?

– Bien sûr ! répondit-elle. Si monsieur René est d'accord, bien entendu.

– Bonne idée ! dit Papilou. Et d'ailleurs, après le goûter, j'aurai bien besoin de deux paires de bras musclés !

8

La dispute

Lorsqu'ils arrivèrent à la maison, ils trouvèrent Jean-Baptiste, le facteur, assis dans la cuisine. Colette s'empressa de lui demander s'il avait une lettre de sa maman. Il fit semblant de chercher dans son sac pour la taquiner, puis finit par en sortir une enveloppe.

– Ah ! La voilà !

La fillette était folle de joie. Elle tendit la lettre à Ernest.

– Tu peux la lire, s'il te plaît ?

Un peu intimidé, Ernest hésita avant de se lancer :

Mes chers enfants. J'espère que vous allez bien, vous me manquez énormément et je pense à vous tout le temps. Ici je passe mes journées à me reposer et je vais déjà beaucoup mieux. J'ai reçu des nouvelles de votre père, il est stationné bien à l'abri sur la ligne Maginot. Il va bien aussi et, comme moi, il vous embrasse tendrement. Soyez sages, et aidez bien Papilou et Mamili.

Votre maman qui vous aime très fort.

Un long silence suivit. Ernest et Colette avaient tous les deux la gorge serrée. Cette lettre leur rappelait à quel point leurs parents leur manquaient. Ils luttaient pour ne pas se mettre à pleurer quand Mamili intervint :

– Elle a l'air de se soigner comme il faut. Je suis sûre qu'on s'occupe bien d'elle au sanatorium.

– Tu crois qu'elle va bientôt guérir ? demanda Ernest, inquiet.

– Mais bien sûr, voyons ! Allez, les enfants, c'est l'heure de goûter !

Elle sortit un gâteau du four, et Jean-Baptiste s'en alla poursuivre sa tournée.

– Les enfants, glissa Papilou, n'oubliez pas que j'ai besoin de vous pour une mission très importante ! Alors on se dépêche d'avaler sa part.

Le village de Grangeville était situé tout près du bord de mer. De hautes falaises de craie blanche longeaient des plages de sable fin. Avec une pelle, Ernest remplissait de gros sacs de toile dont Jean tenait le col bien ouvert. Papilou les chargeait sur sa charrette. Colette et Gadoue, eux, jouaient au bord de l'eau. Une brise fraîche balayait le rivage, le soleil était déjà bas dans le ciel ; l'automne était bien là.

Au bout d'une dizaine de sacs, Ernest commençait à en avoir marre.

– Y en a assez, là, Papilou, non ?

– Y en aura jamais assez ! répliqua son

grand-père. La ligne Maginot, ça arrêtera peut-être les chars, mais pas les avions. Plus on aura de sacs de sable pour se protéger des bombardements, mieux ce sera. Mais on peut faire une pause, si vous voulez…

Ernest aperçut alors la jeune fille des bois qui avait retrouvé Gadoue et l'avait défendu contre les Morteau. Elle les observait, accroupie sur un rocher, un panier à la main. Il lui fit un signe amical de la main. La jeune fille s'approcha. Jean semblait très étonné.

– Tu dis bonjour à la Vraiq, toi ?

– La Vraiq ? répéta Ernest. Tu l'appelles comme ça, toi aussi ?

– Oui, parce qu'elle ramasse le varech avec son père. Elle sent pas très bon, d'ailleurs. Faut pas la fréquenter ! Tout le monde dit que c'est une sorcière. Un jour, elle a empoisonné Antoine, le petit rouquin de la classe. Elle lui a donné un bonbon et, depuis, il est tout idiot !

La Vraiq les avait rejoints. Elle tendit son panier à Ernest.

– Je ramasse des coques, tu veux goûter ?

Jean prit un air dégoûté.

– N'en mange pas, elle a dû les empoisonner !

La fille le fusilla du regard. Ernest ne savait quoi faire, coincé entre les recommandations de Jean et la sympathie qu'il éprouvait pour cette fille.

– C'est bon, j'ai compris, finit-elle par dire, lasse de tendre son panier. Vous savez ce qu'il y a de plus bête qu'un garçon ?...

Aucun des deux ne répondit.

– Deux garçons ! conclut-elle. Corniauds !

Elle tourna les talons et s'éloigna rapidement. Ernest la regarda disparaître, puis ils se remirent au travail, en silence.

Quelques sacs plus tard, Papilou décida qu'il était temps de rentrer.

– Ça suffira pour aujourd'hui, les enfants. Ernest, appelle ta sœur, et toi, Jean, rentre vite chez toi, il se fait tard.

– Ah oui, mince ! répliqua Jean, réalisant l'heure. Au revoir, m'sieur René. À demain, Ernest !

Papilou empoigna la bride de Picotin, son cheval, et la charrette remonta lentement le chemin qui les ramenait au village.

Le lendemain, dans la cour de l'école, une dispute éclata entre Marcelin Morteau et Fernand Geber.

Un attroupement se forma aussitôt autour d'eux.

– Sale Boche ! lança le premier.

– Répète un peu, et je te fais sauter les dents, espèce de bouseux !

– Parfaitement ! insista Morteau, encouragé par son frère et Paul Tissier. T'es qu'un espion !

Fou de rage, le jeune Alsacien se jeta sur Marcelin. Les coups se mirent à pleuvoir, aussi Ernest et Jean tentèrent-ils de s'interposer. Mais rien n'y fit et la plupart des observateurs faisaient tout pour que le spectacle continue.

Heureusement, monsieur Herpin fit irruption dans le cercle et ramena le calme.

– Morteau ! Geber ! Qu'est-ce que ça veut dire ?

– Il m'a traité de bouseux ! se plaignit Marcelin.

– C'est Marcelin qui l'a traité de sale Boche en premier, m'sieur ! intervint Ernest.

Ernest eut droit à des regards noirs du clan Morteau.

– C'est à cause de ce genre de comportement qu'on est en guerre ! déclara monsieur Herpin, s'adressant aux deux bagarreurs. Allez ! Tous en classe, maintenant ! Et puisque vous n'avez toujours pas compris ce que c'est que l'Alsace, il va y avoir du devoir supplémentaire !

Tous les élèves s'acheminèrent vers la salle de classe, tête baissée. Seul Marcelin défia une nouvelle fois Ernest et Fernand d'une vilaine grimace.

À dix-sept heures, Jean, Ernest et Fernand discutaient devant les grilles quand les Morteau vinrent provoquer de nouveau le jeune Alsacien.

– Tu croyais t'en tirer comme ça ? On va aller régler ça maintenant, entre hommes, derrière l'église, et sans Herpin !

Mais Pierre, le frère aîné des Morteau, passa par là avec sa charrette et les interpella.

– J'ai besoin de vous à la ferme, venez me donner un coup de main !

Marcelin se tourna vers Fernand.

– Tu perds rien pour attendre. On se retrouve à dix-huit heures !

– J'y serai ! répondit Fernand. Tu me fais pas peur !

Les Morteau rejoignirent leur frère et le reste des élèves se dispersèrent.

9

Le monument aux morts

Ernest apprenait ses leçons sur la table de la cuisine. Près de lui, Colette dessinait tout en papotant, l'empêchant de se concentrer. Papilou entra, les bras chargés de bûches, qu'il plaça dans le vieux poêle en fonte qui servait à cuisiner et à chauffer la maison.

– Alors, ces devoirs, ça avance ? demanda-t-il.

– Moi, j'ai fini ! répliqua Colette.

Ernest soupira.

– On doit apprendre l'histoire de l'Alsace.

C'est compliqué... Tout ça parce qu'on a un Alsacien dans la classe et que certains ne savent même pas que c'est en France. Il s'appelle Fernand Geber.

Papilou fit volte-face.

– Geber ? Tu sais que j'ai très bien connu son grand-père ? C'est un gars d'ici... Et d'ailleurs, j'ai une histoire à son sujet qui va te plaire.

Papilou referma le poêle et vint s'asseoir à côté de ses petits-enfants.

– Alors voilà ! Geber était un sacré marin...

Ernest et Colette ouvrirent grandes leurs oreilles et le récit les passionna de bout en bout. Quand Papilou arriva à la fin, il était dix-huit heures. Dès qu'il retourna à ses occupations, les enfants en profitèrent pour s'éclipser.

Ils coururent jusque derrière l'église où Marcelin et Fernand s'étaient promis de se retrouver. Ils étaient bien là et le corps à

corps avait commencé, sous le regard atten-
tif d'une demi-douzaine de spectateurs.

– Arrêtez de vous battre ! s'écria Ernest,
essoufflé. Il faut que je vous dise quelque chose.

Gaston Morteau et Paul Tissier lui bar-
rèrent la route en le repoussant violemment.
Il en tomba à la renverse.

– Te mêle pas de ça, Parigot ! menaça Gaston.

Colette lui administra alors un bon coup de pied dans le derrière. Furieux, Paul se rua sur elle, jurant de lui régler son compte. Cette fois, ce fut au tour de Gadoue d'intervenir. Les mâchoires du cochon se refermèrent brutalement sur son mollet. Tissier hurla de douleur.

Ernest profita de la confusion pour s'approcher des bagarreurs. Jean était là et il l'aida à s'interposer.

– Faut que je vous raconte une histoire ! répéta Ernest.

– On s'en fout, de ton histoire ! aboya Marcelin.

Fernand n'était pas de cet avis.

– Non, moi ça m'intéresse. Vas-y, Ernest ! Raconte !

Tandis que Jean retenait Marcelin, Ernest résuma le récit de Papilou.

– Voilà : vos deux grands-pères étaient les

meilleurs amis du monde ! Celui de Fernand a sauvé la vie du tien, Marcelin ! Une nuit de tempête, il a sauté à l'eau alors qu'il était en train de se noyer !

Les deux garçons tombèrent des nues.

– J'en ai la preuve ! ajouta Ernest. Venez avec moi !

Toute la troupe le suivit jusqu'au monument aux morts, situé sur la place du village.

– Regardez ! s'écria-t-il.

Parmi une longue liste de villageois morts

pour la patrie, deux noms étaient gravés côte à côte : Fernand Morteau et Marcelin Geber !

– Vous vous appelez Fernand et Marcelin, comme eux, en hommage à leur amitié ! expliqua Ernest.

MARIN	DESGEORGES	HAROLD	MAUD
YVES	DESMYTTERE	CHRISTIAN	MAURY
CYRILLE	ESSER	ACHILLE	MAURY
NATHAN	FALGARONE	GUILLAUME	MAUTALEN
POLO	FALLER	JONATHAN	MORALI
QUENTIN	FRANCE	FERNAND	MORTEAU
MARCELIN	GEBER	SEBASTIEN	OURSEL
THOMAS	GIRAUD	FRANÇOIS	PERRAULT-
JOHAN	GOLDSCHMIDT	ROBERT	POUTIFARD
LAURENT	GOLIA	JEAN	RÉGNAUD
VINCENT	GRUNBERG	EMMANUEL	ROUGNON
GUILLAUME	GUÉRIN	EMMANUEL	RYZ
RE-ETIENNE	GUÉRIN	NICOLAS	SCHMERKIN

Marcelin regarda Fernand d'un air presque bienveillant.

– Ton grand-père est né dans le coin ?

– Ben oui. Et mon père aussi. Et puis il est parti en Alsace où il a épousé ma mère.

D'un seul coup, le visage de Marcelin se renfrogna.

– Ouais, nos grands-pères étaient peut-être amis, mais toi, t'es qu'un fumier de Boche et je vais te...

La bagarre reprit, malgré les protestations de Jean et d'Ernest.

Heureusement, le curé du village passa par là.

– C'est pas bientôt fini, ce chahut ? Vous n'avez pas honte de vous battre comme ça ?

Une fois de plus, Marcelin se mit à geindre.

– C'est Ernest, il dit que mon pépé il était copain avec celui de Geber ! Et que c'est pour ça que je m'appelle Marcelin !

– C'est tout à fait exact ! rétorqua le curé. J'en sais quelque chose, c'est moi qui t'ai baptisé. Mais là où ils sont, vos grands-pères doivent être bien chagrinés de vous voir vous bagarrer comme deux voyous.

Chacun baissa les yeux et se sentit penaud, puis le curé frappa dans ses mains.

– Maintenant, déguerpissez, avant que

j'aille prévenir vos parents !

Les enfants s'en allèrent sans demander leur reste. Jean, Fernand, Colette, Ernest et Gadoue se mirent en chemin ensemble.

– Vous savez ce qu'il y a de plus bête qu'un Morteau ? demanda Jean.

– Deux Morteau ! répliqua Ernest, du tac au tac.

Ils éclatèrent de rire.

10

Le serment

Un soir, en sortant de l'école, Ernest lança à ses amis Jean et Fernand :

– Hé ! Ça vous dirait de venir voir ma cabane ?

– Bonne idée ! acquiesça Fernand.

– Avec plaisir ! renchérit Jean.

– Ouais ! s'exclama Colette. Allez, viens, Gadoue ! Tous à la cabane !

Hélas, en arrivant sur place, Ernest

découvrit son refuge en ruine. Les branches avaient été arrachées et piétinées. Il était dégoûté.

– Qui a fait ça ? demanda Colette au bord des larmes.

– Qui veux-tu que ce soit ? Les Morteau, bien sûr ! répondit Jean.

– T'en fais pas, Ernest ! renchérit Fernand. On va t'aider à en construire une autre, de cabane. Plus grande et plus solide ! Et mieux cachée pour que les Morteau la trouvent pas !

– Le problème, c'est qu'ils connaissent bien les bois, ces vaches-là ! fit remarquer Jean.

Gadoue attira alors leur attention en grouinant, le regard tourné vers la forêt.

Ernest approcha et réalisa qu'on les épiait. C'était la Vraiq. Se sachant repérée, elle quitta son poste d'observation et s'enfuit. Il se lança à sa poursuite et ne tarda pas à la rattraper.

– Qu'est-ce que tu veux ? demanda-t-elle en se retournant.

Ernest rougit.

– Heu… je voulais m'excuser… j'ai pas été malin-malin l'autre fois, avec les coques…

– Non, t'as même été carrément couillon-couillon !

– En fait, je me disais qu'on pouvait peut-être devenir amis, non ? Moi, c'est Ernest.

– Je sais. Moi, c'est Muguette. Si j'ai bien compris, vous cherchez un meilleur endroit pour votre cabane ?

Il prit un air abattu.

– Ça sert à rien, les Morteau la trouveront toujours.

– Et si je te disais que je connais un coin secret où personne ne va jamais…

Ernest fixa la jeune fille.

Quelques minutes plus tard, toute la troupe s'enfonçait dans les bois, de plus en plus denses. Muguette connaissait les lieux comme sa poche. Elle finit par s'arrêter devant un enchevêtrement d'arbres dont le feuillage formait un véritable mur.

– C'est ici ! lâcha-t-elle. Suivez-moi !

Elle se mit à quatre pattes et rampa sous un taillis. Les autres, perplexes, l'imitèrent.

Lorsqu'ils se relevèrent de l'autre côté, ils n'en croyaient pas leurs yeux. Ils se trouvaient devant une petite maison en ruine. Les murs étaient encore partiellement debout, mais la toiture avait disparu. La végétation envahissait l'espace et, au centre

de l'unique pièce, un arbre immense avait poussé.

– Incroyable ! s'exclama Ernest. On pourra s'appuyer sur les branches pour refaire un toit.

– On pourra même installer un poste d'observation là-haut ! renchérit Jean.

Ils étaient tous emballés. Ernest se tourna vers ses amis.

– Je propose que Muguette entre dans notre bande. Qui est pour ?

Seul Jean se méfiait de Muguette et de sa réputation de sorcière. Mais ses amis étaient en train de lui prouver qu'elle était digne de confiance et qu'il avait sans doute cru des ragots. Il lui tendit la main.

– Je suis d'accord !

Elle l'empoigna, et les trois autres, formant un cercle avec eux, posèrent la leur dessus.

– Je propose d'appeler notre bande « les Robinsons » ! suggéra Ernest. Et je jure de ne jamais dévoiler l'emplacement de notre repaire. À la vie, à la mort !

Muguette, Jean, Fernand et Colette répétèrent en chœur :

– Je le jure !

11

La fin de la drôle de guerre

L'automne s'écoula paisiblement à Grangeville, loin de la tension internationale. La guerre proprement dite n'avait toujours pas commencé sur le territoire français.

Puis vint l'hiver, particulièrement rude cette année-là. Malgré le froid, la petite bande œuvra d'arrache-pied à la construction de sa cabane, qui prenait forme. Le poste d'observation voulu par Jean vit le jour, et un toit de fortune couvrit bientôt la petite maison.

Une échelle faite de branches découpées puis nouées y menait.

Très régulièrement, Lucie envoyait des nouvelles rassurantes à ses enfants. Chaque lettre qui arrivait était un moment de joie et d'émotion mêlées. Même si leur mère restait discrète à ce sujet, son état de santé ne s'améliorait pas. Quant à Robert, il était toujours mobilisé. Ernest et Colette avaient accepté l'idée qu'ils passeraient toute l'année scolaire chez leurs grands-parents. Heureusement, Jean, Fernand, Muguette et Gadoue étaient présents dans leur quotidien, et cette cabane construite dans ce lieu ignoré de tous constituait pour eux un véritable refuge.

Au printemps, la guerre prit une tournure nouvelle. Un jour de mai 1940, les Robinsons s'amusaient sur la plage quand se déroula au-dessus de leurs têtes une bataille aérienne. Un Messerschmitt allemand attaquait un avion de chasse français. Ce dernier zigzaguait dans le ciel pour éviter les rafales de mitraillette de son poursuivant.

– Vas-y ! Défends-toi ! Descends-le ! hurlaient les enfants au sol pour encourager l'aviateur tricolore.

Mais la ténacité de l'Allemand finit par l'emporter. Une épaisse fumée noire s'échappa du cockpit, et l'avion français piqua du nez pour aller s'abîmer en pleine mer.

Les Robinsons étaient choqués. Ils voyaient pour la première fois de leur vie un homme périr au combat.

Quelques jours plus tard, le ciel à l'est de Grangeville s'embrasa dans la nuit. Ernest, Colette et leurs grands-parents observèrent, terrifiés, l'immense lueur rouge qui s'élevait au-dessus de l'horizon. Les éclairs et les détonations d'un bombardement lointain leur parvenaient.

– Bon sang de bonsoir ! s'exclama Papilou. Dieppe[6] est en train de brûler !

Les combats étaient désormais à leur porte. Et des temps beaucoup plus difficiles étaient à prévoir. C'était la fin de la première phase du conflit, communément appelée depuis la « drôle de guerre ». Mais, en fait, la guerre ne faisait que commencer…

À suivre…

6. Port de Normandie ravagé par les bombardements.

Retrouve toutes les aventures d'Ernest et Colette

Pour comprendre la seconde guerre mondiale

4 cahiers documentaires réunis dans une pochette